JN123441

筑波・お茶の水・学芸大附属
竹早・世田谷・大泉・小金井
合格する
国立小学校
・
都立立川国際小

入試解剖学

アンテナ・プレスクール編

石井至著

まえがき

　国立小学校は都内には６校あります。筑波大学附属小学校、お茶の水女子大学附属小学校、東京学芸大学附属の４つの小学校（竹早小学校、世田谷小学校、大泉小学校、小金井小学校）の６校です。

　国立小学校は人気があります。2021年度試験では、東京学芸大学附属竹早小学校は約６９倍、お茶の水女子大学附属小学校約５９倍、筑波大学附属小学校約３２倍、他の都内国立小学校においても倍率１０倍以上です。

　「我が子によい教育を与えたい。しかし、私立に行かせるお金がない」。そういうご家庭が考えるの国立小学校の受験だと思います。同時に、私立小学校と併願して国立小学校を受けるかたもたくさんいらっしゃいます。

　また、都立小学校で、小中高一貫校が２０２２年４月から開校します。その最初の入試が２０２１年１１月に実施されます。東京都立立川国際中等学校附属小学校です。この立川国際小学校（タチコク小学校）も人気校になることが期待されています。

　この本では、東京都内の国立小学校６校の入学試験とその準備方法について、そして、都立立川国際小学校のコンセプト・入学試験について説明します。　一方で、国立小学校にもデメリットがあります。一部の保護者の方々にとっては、看過できないことかもしれません。そういうご家庭には国立小学校は向いていません。入学してもお子さんたちが不幸になるだけです。

　また、実は、２０２１年度の国立小学校の入試は大激変の年でした。日程や内容など大きく変わりました。古い情報で準備をすると不利です。ぜひ、情報をアップデートして頂けますと幸いです。もっとも、元来、試験の日程は毎年変わりますし、制度・内容も変わります。この本を書く時も間違いがないように注意して書きましたが、お子さまが受験の年には必ずご自身で最新情報をご確認ください。

　私の持論は「受験は過去問研究に尽きる！」です。本書が読者の皆様の入試研究の一助になりましたら幸甚です。

　なお、保護者アンケート（筑波、お茶の水、世田谷）の添削サービスや保護者面接（お茶の水・世田谷）練習をご希望のかたは、アンテナ・プレスクールＨＰをご覧頂けますと幸いです（www.a-preschool.jp）。

アンテナ・プレスクール校長　石井至

目次

第１章　どの国立を受けるのか　　P7-16

Ｑ１．東京の各国立小に出願できる住所は？　　P8

Ｑ２．どこに住むと一番多く出願できますか？　P9

Ｑ３．出願できる学校には全部出願する？　　P10

Ｑ４．各校の受験のスケジュールは？　　P10

Ｑ５．学芸大４校の併願はどう考えるべき？　P11

Ｑ６．竹早第一志望の場合の併願は？　　P12

Ｑ７．大泉第一志望の場合の併願は？　　P13

Ｑ８．東京の各国立小の倍率は？　　P14

Ｑ９．そもそも、なぜ国立なのですか？　　P15

Ｑ１０．国立小学校のデメリットは？　　P16

第２章　筑波大学附属小学校　　P17-27

Ｑ１１．筑波の募集要項について教えてくださいP18

Ｑ１２．「検査」（試験）はどういう試験ですか？P18

Ｑ１３．筑波のペーパーはどんな問題ですか？　P19

Ｑ１４．筑波の運動はどんな問題ですか？　　P23

Ｑ１５．筑波の制作はどんな問題ですか？　　P24

Ｑ１６．筑波の口頭試問はどんな問題ですか？　P26

Ｑ１７．筑波の行動観察はどんな問題ですか？　P27

Ｑ１８．筑波の保護者アンケートは？　　P27

第３章　お茶の水女子大学附属小学校

P29-35

Ｑ１９．お茶の水の募集要項は？　　　　　　P30

Ｑ２０．「検査」（試験）はどういう試験ですか？P30

Ｑ２１．お茶の水の口頭試問はどんな問題？　　P31

Ｑ２２．お茶の水の制作はどんな問題ですか？　P34

Ｑ２３．お茶の水の行動観察はどんな問題？　　P34

Ｑ２４．１次抽選後の保護者アンケートは？　　P35

Ｑ２５．２次試験中の保護者面接は？　　　　　P35

第４章　東京学芸大学附属竹早小学校

P37-41

Ｑ２６．竹早の募集要項について教えてくださいP38

Ｑ２７．「発達調査」（試験）はどういう試験？　P38

Ｑ２８．竹早の模倣体操はどういう問題？　　　P39

Ｑ２９．竹早の行動観察はどういう問題？　　　P39

Ｑ３０．竹早の親子面接・親子活動は？　　　　P40

第５章　東京学芸大学附属世田谷小学校

P43-50

Ｑ３１．世田谷の募集要項は？　　　　　　　　P44

Ｑ３２．「発達調査」（試験）はどういう試験？　P44

Ｑ３３．世田谷のペーパーとプレートパズルは？P45

Ｑ３４．世田谷の運動はどういう試験？　　　　P48

Ｑ３５．世田谷の保護者アンケートは？　　　　P49

第６章　東京学芸大学附属大泉小学校
P51-56

Ｑ３６．大泉の募集要項について教えてくださいP52
Ｑ３７．「総合調査」（試験）はどういう試験？　P52
Ｑ３８．大泉１日目のペーパーは？　　　　　　P53
Ｑ３９．大泉１日目の運動はどんな問題ですか？P55
Ｑ４０．大泉１日目の行動観察は？　　　　　　P55
Ｑ４１．大泉２日目の口頭試問はどんな問題？　P55
Ｑ４２．大泉の通学時間の計算方法は？　　　　P56

第７章　東京学芸大学附属大泉小学校
P57-62

Ｑ４３．小金井の募集要項は？　　　　　　　　P58
Ｑ４４．「総合調査」（試験）はどういう試験？　P58
Ｑ４５．小金井のペーパーはどんな試験ですか？P59
Ｑ４６．小金井の制作はどういう問題ですか？　P61
Ｑ４７．小金井の運動はどういう問題ですか？　P62

第８章　国立小受験の参考図書　　P63-64

Ｑ４８．国立小学校受験に際して読むべき本は？P64

第９章　都立立川国際中等学校附属小学校
P63-64

Ｑ４９．立川国際附属小学校はどんな小学校？　P66
Ｑ５０．通学区域はどうなりますか？　　　　　P67
Ｑ５１．募集要項について教えてください　　　P67
Ｑ５２．適正検査はどのような問題ですか？　　P68

第1章

どの国立小学校を
受験するのか？

Q１．それぞれの国立小学校に出願できる住所は？

A１．都内にある国立小学校は、住所によって出願できない場合があります。まずはご自身のご家庭の住所で出願できる国立小学校はどこかを確認する必要があります。執筆時（2021 年 6 月時点）の条件は以下の通りです。

学校名		受験できる住所（保護者と同居）
筑波大学附属小学校 （以下、筑波と略す）		東京２３区、西東京市、埼玉県和光市
お茶の水女子大学附属小学校 （以下、お茶の水と略す）		東京２３区
東京学芸大学附属	竹早小学校 （以下、竹早と略す）	東京２３区
	世田谷小学校 （以下、世田谷と略す）	世田谷区、目黒区、大田区内の指定地域 ※具体的な指定地域は以下リンク参照。 http://www.setagaya-es.u-gakugei.ac.jp/ 02gaiyou/kuiki.html
	大泉小学校 （以下、大泉と略す）	徒歩または公共の交通機関を使って、自宅から登校まで 40 分以内で通学できる地域 ※具体的計算方法は以下リンク参照。 http://www.es.oizumi.u-gakugei.ac.jp/ document/pdf/tsugakukuiki.pdf
	小金井小学校 （以下、小金井と略す）	昭島市、国立市、小金井市、国分寺市、小平市、立川市、調布市、西東京市、東久留米市、東村山市、日野市、府中市、三鷹市、武蔵野市、杉並区、中野区の<u>全域</u> ＊ 稲城市、清瀬市、八王子市、東大和市、世田谷区、練馬区の<u>指定地域</u> ※指定地域例（R2 年度）は以下リンク参照。 http://www.u-gakugei.ac.jp/~kanesyo/ 05nyugaku/R2nyutyou0902.pdf

受験者（お子さん）が保護者と同居していることが条件になっていますので、住民票だけを通学地域に移しても受験資格がないことになります。筑波と竹早はさらに「入学後も」この地域内に保護者と同居することが条件になっています。

Q2．どこに住むと一番多く出願できますか？

A2．まず、おそらく「世田谷」と「大泉」の両方に出願することは不可能です。私が調べたところ、「世田谷」の指定地域で「大泉」に40分以内で通学できる地域が存在しません。A1の「大泉」の通学時間のリンクに、「電車利用の通学可能駅」リストがあります。（大田区は遠方で除外）世田谷区、目黒区に近い駅では、山手線新大久保駅、井の頭線久我山駅が学校からの「最遠駅」です。つまり、大田区、世田谷区、目黒区から大泉に通学できる住所は存在しません。<u>したがって、都内国立6校すべてに出願できる住所は存在しないと思われます。</u>

5校に出願できるというのが最大になりますが、（パターンA）「筑波＋お茶の水＋竹早＋<u>世田谷</u>＋小金井」の5校のパターンと、（パターンB）「筑波＋お茶の水＋竹早＋<u>大泉</u>＋小金井」の5校のパターンがありえます。

パターンA。まずはおおざっぱに「世田谷」と「小金井」で重なる通学地域を見ると世田谷区だけです。さらに「世田谷」と「小金井」の世田谷区の指定地域の共通点を探したところ、私の調べでは、<u>「世田谷区代沢4丁目」「世田谷区代田1丁目・3丁目」</u>だけが両校に出願できます。

パターンBは、「大泉」と「小金井」の両方に出願できる23区内の住所ということになります。小金井は「杉並区・中野区の全域」と「世田谷区と練馬区の指定地域」ですが、世田谷区からは大泉には通えないので除外。つまり、<u>杉並区・中野区と練馬区の一部で大泉まで40分で通えるところ</u>を探すことになります。

<u>中野区</u>では、西武新宿線の鷺ノ宮駅から最大徒歩13分、都立家政駅7分、沼袋駅6分、野方駅4分、新井薬師前駅前の住所と、大江戸線新江古田駅から最大徒歩13分の住所、JR中野駅前だとぎりぎり可能かもしれません。あとは電車やバスの運行スケジュール次第です。<u>杉並区</u>では、西武新宿線の下井草駅から徒歩最大18分、井荻で20分、上井草駅で23分、JR西荻窪駅で徒歩最大9分、荻窪駅で5分、阿佐ヶ谷駅、高円寺駅だと駅前です。西武バス「荻15」バス路線沿いも可能性高いです。練馬区では、西武新宿線の上石神井駅と武蔵関駅界隈の上石神井町、上石神井南町、上石神井台、関町北、関町東、関町南、立野町です。

<u>要は、西武新宿線の新井薬師前駅〜武蔵関駅の間、大江戸線の新江古田駅、JR中野駅〜西荻窪駅の界隈の住所は両校出願の可能性があるので、要確認です。</u>

Ｑ３．出願できる学校には全部出願すべきでしょうか？

　Ａ３．お住まいの住所によっては国立小学校の最大５校に出願できることをＱ２で述べましたが、実は、出願は５校できても、受験できるのは最大３校です。筑波とお茶の水と学芸大附属のいずれかです。というのは、学芸大学附属の４校はどこも試験日（調査日、検定日。抽選でなく試験がある日）が同一だからです。

Ｑ４．各校の受験スケジュールと試験項目は？

　Ａ４．おおよその各校の 2021 年度の学校説明会・募集要項配布・願書提出・試験日程を一覧にしたのが次の図です。2021 年度は例年とは異なりました。

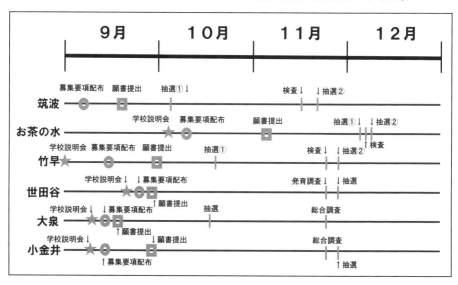

　お茶の水を除く５校は、９月の１か月の間に学校説明会（筑波はなし）、募集要項配布、願書提出があります。東京の私立の願書提出が１０月始めであることを考えると私立よりも願書提出が早いので注意が必要です。試験（調査・検査）の前に抽選がある竹早と大泉は抽選が１０月中旬です。筑波の最初の抽選は１０月上旬と早まりました。試験も筑波で１１月中旬と早まり、学芸大附属の４校は１１月下旬です。一方、お茶の水は募集要項配布が１０月上旬、願書提出が１１月上旬、抽選・試験は１２月上旬と、他校に比べ時期が遅いです。

最近（令和3年（R3）、令和4年（R4））の具体的な日程を表にしたものが次の表です。毎年変わりますので、受験の年はご自身で学校HP等でご確認ください。

学校名	学校説明会	募集要項提出	願書提出	試験日程		
筑波 （R3年度）	なし	9/8 ～ 9/20 ※WEB購入	9/17 ～ 9/20 ※WEB出願	抽選① 10/3	検査 11/15 ~17	抽選② 11/19
お茶の水 （R3年度）	コロナで中止 ※例年は10 月最初の土曜	10/3~9 10/12~16	11/2~9	抽選① 12/7	検査 12/8 ~10	抽選② 12/11
竹早 （R3年度）	8/25~31 動画配信	9/15~18	9/29~10/2	抽選① 10/17	検査 11/25~ 26	抽選② 11/28
世田谷 （R4年度）	9/17~30 動画配信	9/17~30	9/23~10/2 （R3年度）	発育調査 11/24~27		抽選 11/28 （R3年度）
大泉 （R4年度）	9/3~17 動画配信	9月 上旬～中旬 （予定） ※R3は 9/18~30	9月中旬 （予定） ※R3は 9/19~10/1	抽選 10/16		総合調査 11/24~25
小金井 （R4年度）	9/11 @学校 （予定） ※R3は 動画配信	9/11, 9/13~17	9/23~10/2 （R3年度）	総合調査 11/24~25		抽選 11/28 （R3年度）

Q5．学芸大附属小学校の4校の併願はどう考えるべきですか？

A5．学芸大4校とも試験（調査、検査）が同じ日なので、実際に試験を受けられる学校は1校になりますが、出願は複数校にするほうがよい場合があります。というのも、竹早や大泉は試験の前に抽選があり、竹早や大泉だけに出願すると試験を受けることなく抽選で落選し終了になってしまう可能性があるからです。では、どのように出願すべきでしょうか。まずは4校のうち、自分の住所で受験できる学校を確認した上で、第一志望から順に志望順位をつけてください。もし世田谷や小金井が第一志望であれば（両校とも試験（調査）から始まりますので）その学校にだけ出願すれば足ります。問題は竹早と大泉が第一志望の場合です（次のQ6・Q7参照）。

Q6．竹早が第一志望の場合の出願はどうすべきですか？

A6．竹早は、23区内に住所がないと出願できません。併願校を選ぶには、まずは住所で出願できるか否かを確かめた上で、竹早の抽選で落選した場合に、竹早以外の学芸大3校でどこを第二志望にするかを考えてください。第二志望が決まれば、下のフローチャートでどこに出願すべきかがわかります。

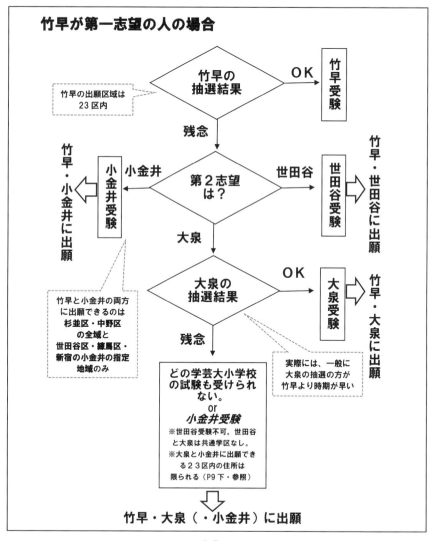

Q7．大泉が第一志望の場合の出願はどうすべきですか？

A7．大泉が第一志望の場合でも、第二志望の学校をどこにするかで、どこに出願するかが決まります。次のフローチャートをご覧下さい。

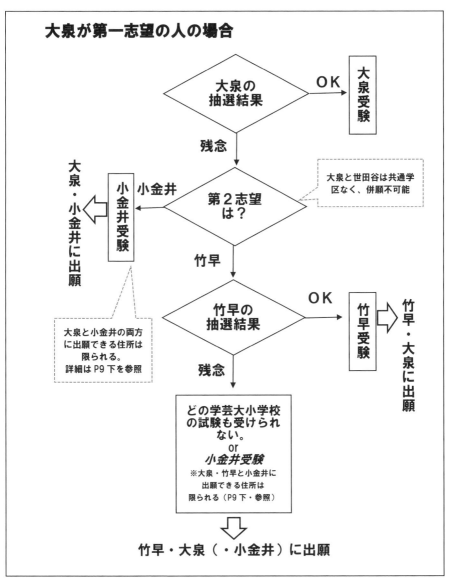

13

Q8. 東京の各国立小学校の倍率はどうなっていますか？

A8. 各校の詳しい状況はそれぞれの章で説明しますが、ここでは、学芸大4校の中でどこを第一志望・第二志望にするかの参考のために、2021年度の倍率を説明します。国立小学校ならどこでもいいからとにかく合格したいということであれば、倍率が低い学校を狙うのは一法です。その場合は、竹早を避けることになります。また、試験（調査・検査）が得意なお子さんの場合は、抽選の倍率が低く、勉強で勝負できる学校を選ぶ方が有利です。大泉は抽選の倍率が他校に比べ低く、調査の倍率が高いので、勉強が得意な子は有利となります。

2021年度	筑波	お茶の水	竹早	世田谷	大泉	小金井
応募者数	4159名	3044名	2746名	1233名	1396名	1069名
抽選① 通過者数 （倍率）	1327名 （3.1倍）	293名 （10.4倍）	412名 （6.7倍）		1256名 （1.1倍）	
調査・検査 通過者数 （倍率）	160名 （8.3倍）	96名 （3.1倍）	68名 （6.1倍）	210名 （5.9倍）	119名 （10.6倍）	172名 （6.2倍）
抽選② （倍率）	最終 128名 （1.3倍）	最終 52名 （1.8倍）	最終 40名 （1.7倍）	最終 105名 （2.0倍）		最終 100名 （1.7倍）
倍率	32.4倍	58.5倍	68.7倍	11.7倍	11.7倍	10.7倍

（アンテナ・プレスクール調べ）

竹早と大泉の2021年度は例年と異なっていました。以下が2020年度です。竹早の2021年度（上の表）は三密を避けるために抽選で絞り込み、調査会場のディスタンスを確保したと思われます。大泉は抽選のタイミングが変わりました。

2020年度	筑波	お茶の水	竹早	世田谷	大泉	小金井
応募者数	3900名	2729名	2411名	1175名	1239名	1005名
抽選① 通過者数 （倍率）	2051名 （1.9倍）	420名 （6.5倍）	698名 （3.5倍）		1239名 （1.0倍）	
調査・検査 （倍率）	200名 （10.3倍）	100名 （4.2倍）	93名 （7.5倍）	201名 （5.8倍）	138名 （9.0倍）	179名 （5.6倍）
抽選② （倍率）	最終 128名 （1.6倍）	最終 50名 （2.0倍）	最終 40名 （2.3倍）	最終 105名 （1.9倍）	最終 90名 （1.5倍）	最終 98名 （1.8倍）
倍率	30.5倍	54.6倍	60.3倍	11.2倍	13.8倍	10.3倍

（アンテナ・プレスクール調べ）

14

Ｑ９．そもそも、なぜ国立小学校を目指すのですか？

Ａ９．東京にお住まいのご家庭の場合、公立小学校だけでなく、多くの私立小学校も受験できます。その中で、なぜ、国立小学校を目指すのでしょうか。

　私立小学校を第一志望にしているご家庭の多くも、国立小学校を併願で受験します。試験日がかぶらないので併願しやすいからです。私立小学校を受験する多くのご家庭は平均４、５校を併願しますので、それにさらに付け加える形です。試験の難易度でいうと、筑波を除けば、私立小学校の難関校を目指しているお子さまにとっては追加の対策はほぼ不要です。

　私立小学校で最も出願者数が多い慶応幼稚舎でも 1700 名程度に比べ、筑波の約 4000 名、お茶の水の約 3000 名、竹早の約 2500 名の多さを考えると、国立専願のお子さまもたくさんいらっしゃるということです。国立専願のご家庭は、「近所だから」「学費が安い」「（一部の学校は）ペーパー試験がない」「先生の質が高い」「附属の難関中学に進学しやすい」等の理由で受験を希望しているようです。

　学費に関しては、例えば、2021 年度の慶応幼稚舎の初年度納付金は 160 万円（入学金 34 万円、授業料 94 万円、教育充実費 20 万円、文化費 2.5 万円、給食費 9.5 万円）です。私立でも比較的お月謝の安いカトリック系の暁星小学校は約 110 万円（入学金 30 万円、授業料 45 万円、施設費 10 万円他）です。

　国立小学校はそれに比べるとかなり少額です。以下、概算ですが、学芸大の費用は給食費（月 5000 円程度）を除けば、竹早で 4 万円、大泉で 2.5 万円、小金井で 1 万円程度と言われています（実際は違う）。世田谷は 24 万円、筑波 26 万円（学校後援会入会金 15 万円他）、お茶の水 20 万円（教育後援会費 13 万円（6 年分）含む）です。大泉では「お願い」（義務ではないという建前）として、菊泉会（きくせんかい）」という学校後援会への入会を勧められます（入会金 25 万円、年会費 5 万円、寄付金 1 万円）。いずれも私立に比べると少額とは言え、「学校後援会」に「入会金」なるものがあり、それが 15 万円や 25 万円もすることに納得がいかない人もいると思います。しかし、「伸るか反るか」ですので、こういうことが気になる人は受験しないほうがいいと思います。制服やランドセル等が高額な学校もあります。業者との長年の癒着によるキックバックが先生方の「裏金」資金になっているのではと疑う人がいても不思議ではありませんが、これも同じ理由で、気になる人は受験しないほうがよいと思います。

Q10．国立小学校のデメリットは？

A10．国立小学校にお子さまを通わせて、「こんなはずじゃなかった」というご家庭もあります。

　よく言われていることですが、とりわけ学芸大学附属小学校は教育研究校ですので、教科書を使ってきちんと教える授業ばかりではありません。「教科書に折り目がつかなかった」、つまり、一度も教科書を使わなかったと言っていたお母さんもいらっしゃいました。そのために、体系的学習の機会がなく学力不足になる恐れがあります。

　また、系列の中学に全員が進学できるわけでもありません。筑波は約１割の子供は進学できません。お茶の水や世田谷、大泉、小金井の場合は内部進学の試験に合格する必要があり、竹早は小学校の推薦が必要になります。仮に系列中学に進学できたとしても、それがハッピーとは限りません。中学入試で入ってくる外部生は偏差値 70 以上の子供たちばかりですから、中学校に入ると小学校からの内部進学組は落ちこぼれ組になってしまうという現実があります。あまりの学力差に負け犬根性がついて、すっかりダメになる子供もいるようです。

　また、特に筑波は親の出番が多い学校です。あるお母さんが言っていたのは、小学校６年間のうち係になるのが２年、係になると多い時には週に２回学校に行くと言っていました。「週に２回も何をしに学校にいくんですか？」と聞いたところ、「明日の授業で〇〇が必要なので準備お願いします」と先生から連絡があるとのことでした。私立や公立の先生は自分で授業に必要なものは準備しますが、筑波の先生は係の保護者を「助手」のように使うとのことでした。とにかく親の出番が多いので、共働きのお母さんがフルタイムの仕事を辞めたという話はよく聞きます。フルタイムの共働きが当たり前の令和の時代に、時代錯誤甚だしいと感じる人がいても不思議ではありません。Ｑ９の不明瞭会計疑惑も含めて、正義感や権利意識の強い保護者だと、学校に文句を言いたくなってしまうと思います。しかしながら、繰り返しになりますが、そういうご家庭に国立小学校は向きません。「我が子がお世話になっているから、先生のおっしゃることならなんでも」くらい、清濁併せ呑む覚悟が必要です。そういうのが嫌な人は、私立の東京都市大学附属小学校のように透明性が高く合理的な運営をしている学校をお勧めします。

第2章

筑波大学
附属小学校

Q11. 筑波の募集要項について教えてください。

A11. ご参考までに2021年度の入試の募集要項の概要をお示しします。前年までは第1次選考（抽選①）が11月上旬、第2次選考（検査）・第3次選考（抽選②）が12月中旬でしたので、2021年度からは全体のスケジュールが約1か月前倒しになっているので注意が必要です。受験の年は早めに学校のHPでスケジュールを確認してください。

2021年度　筑波大学附属小学校　募集要項	
募集人員	合計128名（男子64名、女子64名）
募集要項頒布時期	2020年9月8日〜9月20日（1部2000円） ※WEB購入（miraicompass出願サイトで購入）
第1次選考WEB出願	2020年9月17日〜20日　※WEB出願のみ
第1次選考（抽選①）	2020年10月3日　女子8時30分〜、男子11時〜 ※結果発表 同日女子18時，男子18時30分 ※WEB発表
第2次選考郵便出願	2020年10月14日〜16日※郵送のみ（消印有効）
第2次選考受験票印刷	2020年11月2日〜11月17日
第2次選考（検査）	2020年11月15日〜17日（のいずれか1日） Aグループ（4月1日〜7月生）11月15日 Bグループ（8月〜11月生）　11月16日 Cグループ（12月生〜翌年4月1日生）11月17日
第2次選考発表	2020年11月18日
第3次選考（抽選②）	2020年11月19日
入学候補者発表	2020年11月20日

Q12.「検査」（試験）は一言でいうと、どういう試験ですか？

A12. 約1時間で、ペーパー・運動・制作・口頭試問の4つの試験が行われます。以前は行動観察も出題されましたが、コロナで三密を避けるため出題されなくなりました。ペーパーは、最近は大問で3問。お話の記憶、図形、数量比較の3問が典型です。運動はクマ歩きです。以前は前転してからのクマ歩きなどの出題もありました。制作は指示制作で、先生が示す制作過程の見本、あるいは、制作過程の説明映像を見た後でその通りに作るものです。口頭試問は、制作の試験の後、自由にお絵かきをするように指示され、2〜3人ずつ別室によばれ2つの質問をされるのが典型です。子どもの試験中に保護者アンケートがあります（Q17）。

Q13. 筑波のペーパーはどんな問題が出題されますか？

A13. 筑波のペーパーは以前は大問２問で「お話の記憶」と「図形」の問題と相場が決まっていたのですが、最近は大問３問で「お話の記憶」「図形」「数量・比較」が出題されています。筆記具はクーピーで、最近は８色です。

　まずペーパーですが、お話しを聞いて質問に答える、いわゆる「お話の記憶」の問題です。お話は800字～1000字程度、それに対して質問が8題程度出題されています。難易度を知るために、過去問を一題の一部を紹介します。

＊　＊　＊

＜ペーパーの出題例＞

【問題】次のお話を聞いて、後の問題に答えましょう。

「5人のお友達で公園に遊びに行きました。はじめに何をして遊ぶかをみんなで相談することにしました。帽子をかぶったヒロシ君は砂場で遊ぼうと言いました。ナツミちゃんはブランコで遊ぼうと言いました。スグル君はサッカーをしようと言い、みつあみをしたサトコちゃんは鉄棒の練習がしたいと言いました。髪の長いマミちゃんは、おままごとがしたいと言いました。

　みんなの遊びたいものがバラバラだったので、ヒロシ君は「じゃんけんで勝った人のやりたい遊びから順番にやるのはどうかな」と言いました。みんな「いいよ！」と言い、じゃんけんをすることになりました。「せーの、ジャンケンポン！」。はじめに勝ったのはナツミちゃんでした。次にスグル君が勝ち、その次にヒロシ君、そしてサトコちゃんが勝ち、マミちゃんは負け続けて最後に残ってしまいました。マミちゃんは「おままごとをする時間あるかなぁ。でも、みんなで遊べばどんなことも楽しいからいいや。さ、遊ぼう！」と言いました。

　そして、みんなはお約束通り、じゃんけんで一番に勝ったナツミちゃんの遊びたいものをしました。その後も、じゃんけんで勝った順番通りに遊びました。砂場遊びのときは、誰が一番丸くて綺麗なお団子が作れるかを競いました。たくさんのお団子ができあがりましたが、並べてみるとマミちゃんの作ったお団子が一番まんまるで綺麗にできていました。「マミちゃん、上手だね！」とみんなに言われ、マミちゃんは恥ずかしそうに「えへへ」と笑っていました。みんな夢中になってお団子づくりをしていたので、気が付くと手も足も泥だらけになっていました。

ふと、あたりを見るともうすっかり夕方になっていました。みんなは最後に1回だけ鉄棒で前回りをして、遊ぶのを終わりにしました。「楽しかったね。また遊ぼう」と言い、みんなはお別れの挨拶をして家に帰りました」。

　これでお話はおしまいです。では、問題です。

① 　ナツミちゃんが遊ぼうと言ったものは何ですか？　サイコロ1の目の部屋から選んで、緑の○をつけましょう。（解答時間２０秒、以下同じ）

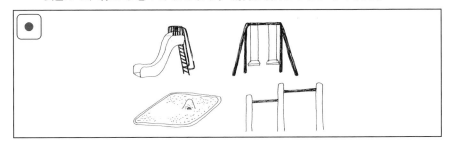

② 　マミちゃんのやりたかったことは何ですか？　サイコロ２の目の部屋から選んで、黒の×をつけましょう。

③ 　みんなが泥だらけになった遊びは何ですか？　サイコロ３の目の部屋から選んで赤の○をつけましょう。

④　その遊びを一番上手にできたのは誰ですか？　サイコロ4の目の部屋から選んで青の〇をつけましょう。

⑤　鉄棒を一番やりたかったのは誰ですか？　サイコロ5の目の部屋から選んで桃色の〇をつけましょう。

　ちなみに、正解は、①ブランコに緑の〇、②おままごとに黒の×、③砂場遊びに赤の〇、④一番上手にできたのはマミちゃんで、マミちゃんは髪が長いから一番右の女の子に青の〇、⑤鉄棒をやりたかったのはみつあみのサトコちゃんなので、左から2番目の女の子に桃色の〇、になります。

　解答時間が小問1問あたり20秒が標準で短いので、普段からスピーディーに解答する練習をする必要があります。

＊　＊　＊

　次に図形の問題です。
　筑波で出題される図形の問題は、「図形の回転」「折り紙の展開」「図形の合成（組合せ）」「線対称図形」が頻出です。ただ、単純な「図形の回転」だけでなく、「折り紙の展開」をしてから「回転」させる等、組み合わせた出題も頻出です。さらに、図形と系列の問題、図形と数量の問題など、分類をまたいだ出題もあります。

21

図形の過去問も一題見てみましょう。「図形の回転」と「重ね図形」の組合せの問題です。

【問題】矢印のついている図形を矢印の方向に回転させ、隣の図形に重ねます。その時に、〇のないマス目はどこですか？　一番右の四角のその位置に、赤のクーピーで〇を書いてください。（解答時間２０秒）

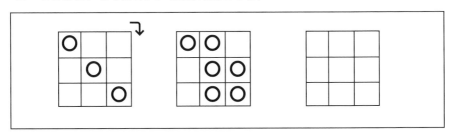

　解答は次のとおりです。一番左の図形を矢印の方向に回転させると次の図の一番左になり、それを真ん中の図形と重ねると、〇がないのは一番左の列の真ん中のマス目になりますので、そこに〇を書くことになります。

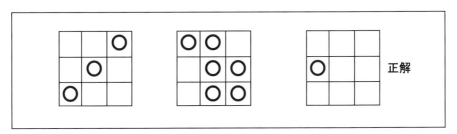

正解

　このような小問が８問出題され、大問１問になります。
　数量比較の問題もひとひねりある問題が出題されます。
【問題】 ２つの太い線のうち、長い方に青のクーピーで〇をつけてください。

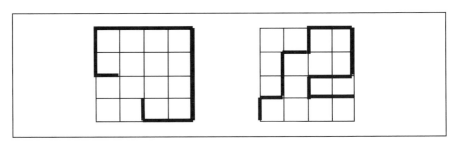

正解は右の図形です。小さなマス目の１辺の数を単位にして、太い線を数えると、左側の図形は１４あります。右側は１５ありますので、右が正解になります。

　この問題も解答時間は２０秒で、この手の小問が８題で大問１題になります。

Ｑ１４．筑波の運動はどんな問題が出題されますか？

Ａ．１４　筑波の運動は基本ワンパターンで、クマ歩きです。

　クマ歩きとは、両手・両足を床につけて移動する歩き方です。ひざは床につけませんので注意してください。また、右手と右足が同時に前に出ないようにしてください。

　ポイントは２つあります。一つは、そのスピードです。ゆっくりとのっしのっしと歩くのではなく、ゴキブリのように素早く移動することが重要です。スピードを早くするコツとしては、目線を自分のちょっと先（３０ｃｍくらい）を見るようにすることです。先の方を見てはいけません。ずっと先の方をみると、身体の傾斜がゆるくなり、スピードが出ません。逆に言えば、お尻を高く上げた状態で前傾がきつい方が速くなります。

　二つ目のポイントはカーブです。Ｕ字に曲がった線に沿って移動することが多いので、カーブでスピードが落ちないように練習する必要があります。反時計回りだけでなく、時計回りも念のため練習しておくほうがいいかもしれません。

　バリエーションとしては、クマ歩きの前あるいは後に、マットでの前転が加わることがあります。

　ですので、前転ができないお子さんは、ご自宅でお布団の上などで練習をしてください。

Q15. 筑波の制作はどんな問題が出題されますか？

A15. 筑波の制作の問題では以下の要素が頻出です。「紙をちぎる」「折り紙を折る」「糊で貼る」「テープで貼る」「塗り絵」「紐を穴に通す」「紐を蝶結びする」等ですが、とりわけ練習が必要なのは「紙をちぎる」「紐を蝶結びする」です。

　具体的に過去問を見てみましょう。制作の問題では、制作過程を先生が説明しながら見せてくれるか、制作過程の動画を見せた上で制作をします。

【問題】これから「カエルボード」をつくってもらいます。どうやってつくるかの動画を見てつくってください。

＜材料＞
・Ａ４の白い紙（上に２穴あり。右下にカエルのイラスト）
・３２切りサイズの緑色の画用紙（８つ切りの４分の１のサイズ。楕円が描いてある）。
・直径３ｃｍの黄色のシール２枚
・直径１ｃｍの黒のシール２枚
・つづりひも１本
・クーピー（緑）
・折り紙（オレンジ、緑）計２枚
・コットンパフ
・スティックのり

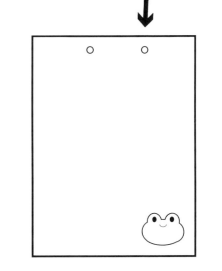

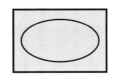

動画の内容は次の通りです。

　①緑色の画用紙の楕円をちぎり、台紙（A4）に貼る。②黒のシールを黄色のシールに貼り、黄色のシールをちぎった緑の画用紙の上あたりに貼る（目の位置）。③緑の画用紙の上にコットンパフを貼る。④折り紙で人参をつくる（折り紙でにんじんを折る方法はここでは割愛しますが、インターネットなどで紹介されていますので参考にしてください）。⑤台紙の右下のカエルに色を塗る。⑥台紙の上にある穴にひもを裏側から通し、ちょう結びをする。

　この順番に先生が説明しながら制作するビデオを見て、制作します。

A16．口頭試問は、制作の問題の後に行われます。制作課題のその場で、画用紙とクーピーを渡され「自由にお絵かきをしてください」と言われ、2～3人ずつ、別会場に移動し質問されます。

　ある年の質問は以下のの質問から2つ聞かれましたが、受験者によって聞かれる質問は違いました。

①お母さんがつくってくれる料理で好きなものは何ですか？

②お父さんとは何をして遊びますか？

③朝は何を食べてきましたか？

④好きなテレビ番組は何ですか？

⑤お友達とは何をして遊びますか？

⑥今から言う通りに言ってください。「あいうえお、たちつてと、まみむめも」等。

⑦生年月日を教えてください。

⑧お友達の名前を二人教えてください。

などです。

　筑波には学校が望む在校生家庭像というのがあり、それに沿った内容でないと不合格になると思われます。

　例えば、①で「お父さんは仕事で忙しいので一緒に遊びません」という答えは×ですし、③で「コンビニのおにぎりです」もダメです。④では「テレビは観ません」が理想的な答えですが、NHKの子供向け番組やニュースまでが許容範囲です。アニメやバラエティは×です。⑥では、「フォートナイトです」とか「あつ森です」のようなゲームに関する答えもダメです。

　今どき、そんな家庭は存在するのだろうかと思うような、昭和の保守的で教育熱心な家庭のイメージが筑波が望む理想の家庭像だと思われます。

　お母さんは手の込んだ料理をつくり、お父さんは週末に外で一緒に遊んでくれて、テレビは観ない。友達とも元気よく外で遊ぶという感じです。

　ですので、筑波の試験は付け焼刃が効きません。近所だから受験する、日程が併願できるから受験するというのでは合格はおぼつきません。子どもが小さい頃からの子育て・家庭生活が問われることになります。

Q１７．筑波の行動観察はどんな問題が出題されますか？

Ａ１７．コロナ下で行われた２０２１年度の入学試験では、三密を避けるために行動観察の試験はありませんでした。

２０２０年度以前は行動観察の試験が実施されていました。５人一組になり「紙コップで高いタワーを作る。他のグループと競う」等が典型です。積み木を高く積む問題もありました。以前はザリガニを水槽に入れる（手づかみ）課題からの制作問題（ザリガニと自分の絵を束ねて、ひもでちょう結びする）もありました。

Q１８．筑波の保護者アンケートではどんなことが訊かれますか？　どのくらいの時間で、どのくらいの分量を書きますか？

Ａ１８．試験当日、子どもが試験を受けている間に、保護者には保護者アンケート（作文）が課されます。時間は２０〜２５分程度。字数はＡ４用紙１枚に１４行書くものです。人によって字数は異なると思いますが、１行に２５字書くとして、２５字×１４行＝３５０字なので、３５０字が一つの目安になります。

以下が過去の出題例です。子育てに関する本質的なことであり、私立入試の面接でも訊かれるような質問です。事前に内容を検討しておく必要があります。

「学校の指導方針とご家庭の教育方針が異なる場合、どのようになさいますか？具体的に書いてください」

「朝、子どもを起こしにいくと学校に行きたくないと言っています。どのように対処をしますか」

「子どもが学校から怪我をして帰ってきました。どのように対処しますか？」

「本校では保護者の方がお仕事をしていても、６年間のうち２年は係になります。仕事と学校行事、役員業務が重なった場合どうしますか」

「子どもに携帯電話、スマートフォンを持たせることに関して、どのようにお考えですか？

「本校の３泊４日の林間学校は体力・精神的にも厳しいものです。保護者としてどう考え、どのようにサポートしますか」

「SNS での保護者間交流についてどのように考えますか」などです。

第３章

お茶の水女子大学
附属小学校

Q19．お茶の水の募集要項について教えてください。

A19．ご参考までに2021年度の入試の募集要項の概要をお示しします。お茶の水だけ、他の国立小学校とはスケジュールが異なり、出願が11月、選考は12月からです。もちろん変更される可能性は十分にありますので、受験の年は早めに学校のHPでスケジュールを確認してください。

2021年度　お茶の水大学附属小学校　募集要項	
募集人員	合計50名程度（男子25名程度、女子25名程度）
募集要項頒布時期	2020年10月3日4日（1部1000円）@小学校中央玄関 10月5～9日・12～16日@大学国際交流留学生プラザ
第1次選考出願	2020年11月2日～9日　※郵送のみ。当日消印有効。
第1次選考（抽選①）	2020年12月7日　男子9時～、女子11時～ ※結果発表 同日女子18時，男子18時30分　※WEB発表
第2次選考出願	2020年12月7日　男子13時30分～女子15時～ @大学講堂。保護者のみ手続き可。
第2次選考（検査）	2020年12月8日～10日（のいずれか1日）9時～ Aグループ（4月1日～7月生）12月8日 Bグループ（8月～11月生）　12月9日 Cグループ（12月生～翌年4月1日生）12月10日
第2次選考発表	2020年12月11日　男子9時～、女子9時30分～ @小学校校庭
第3次選考（抽選②）	2020年12月11日　男子9時35分～、女子10時5分～ @小学校
入学手続き	2020年12月11日　抽選②終了後

Q20．「検査」（試験）は一言でいうと、どういう試験ですか？

A20．行動観察がない場合、所要時間は約40分。制作と口頭試問（個別審査）の2つの試験が行われます。以前は行動観察もありましたが、コロナで三密を避けるため出題されなくなったと思われます。口頭試問は担当の先生が2人。一人が理科分野常識や数量比較に関する出題を1問、もう一人の先生はお話づくりと言語の問題の2問を出題します。この合計3問が典型です。制作は簡単な指示制作です。1次の抽選通過後に保護者アンケート（Q23）があり、2次の試験中に約5分の面接（Q24）があります。

Q21. お茶の水の口頭試問ではどんな問題が出題されますか？

A21. お茶の水の口頭試問は図書室で行われ、8人一組です。他の子どもが口頭試問を受けている間は本を読んで待ちます。呼ばれたらカーテンの仕切りの向こうに行き、口頭試問を受けます。先生は二人いて、<u>最初の先生からは理科分野の常識か数量比較の問題が出題されます。</u><u>次の先生からはお話づくりと言語問題の2問が出題される</u>のが典型です。

　理科分野の常識の頻出問題は「てんびん（シーソー）」の問題です。

【問題】（目の前に釣り合った状態のシーソーとアヒルのおもちゃがある）
右側のコップにアヒルのおもちゃを入れるとどうなりますか？

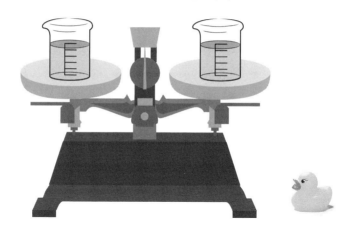

　大人にとっては当然ですが、右側にアヒルのおもちゃを入れると、右側が下がることになります。子どもが「右側が下がります」と答えると、「どうしてですか？」と理由を訊かれますので、「アヒルを入れると右側が重くなります。てんびんでは重い方が下がるので、右側が下がります」という回答が模範解答です。ポイントは、てんびんはシーソーと同じで重い方が下がるということを理解しているか、です。

数量比較分野の頻出問題は分配問題です。

【問題】（次の絵を見せられて）
ケーキ1つと飴1つをお皿に載せて配ります。何人に配れますか？

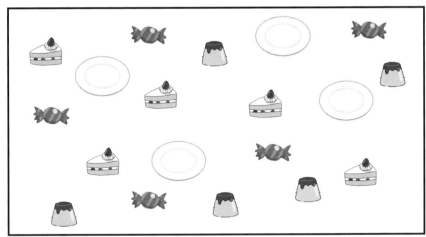

　　単純な分配の問題です。ケーキとお皿と飴が1セットとして考え、何セットで
きるかということです。あるいは、ケーキが5個、飴も5個、お皿が4枚なので、
お皿の数まで配れるということでもいいです。

　　以上が、一人目の先生から問われる問題です。二人目の先生からは、お話しづ
くりの問題と言語の問題の2問が問われるのが典型です。

【問題】①（6枚のカードから先生が一枚選んで）この絵の時は、どんな音がす
　　　　ると思いますか？

左上：「ころころ」と答えるのが典型的な正解です。音がしますか？という質問
　　　ですが、擬態語で答えます。
上中：「しんしん」が典型的な正解です。
右上：「ザーザー」が典型的な正解です。
左下：「ぴゅーぴゅー」が典型的な正解です。
下中：暑くて汗が出ているので「じとー」が典型的な正解です。
右下：歌をしっている子は「さらさら」と答えると思います。

【問題】②この６枚の中から、好きなカードを選んでください。選んだカードを使っ
　　　て、お話を作ってください。

　解答例としては、サッカーボールの絵の場合、「太郎君は花子さんとサッカー
をして遊んでいました。太郎君がサッカーボールを強くけり過ぎたので、花子さ
んを飛び越えて坂をころころと転がって行きました。あわてて走って追いかける
と、危ないので、道路を渡るときは左右をみて車が来ていないときに、手をあげ
て横断歩道を渡りました。サッカーボールは無事見つかりました。おしまいです」
という感じです。文の数としては、最低３文、できれば４〜５文が望ましいです。
また、前の質問の擬態語である「ころころ」を入れる必要があります。

　お話づくりが非常に苦手な子どもの場合は、何も話せないので、最初は見てい
る絵を説明するところから始めてください。

　次は言語の問題です。言語の問題には２パターンあり、さかさ言葉を言う問題
（次の言葉のさかさ言葉を言ってください。「クリスマス」「サンタクロース」等）
もありますし、動物の鳴き声の問題も出題されています。
【問題】（レコーダーで動物の鳴き声を流し）今の鳴き声はどの動物の鳴き声です
　　　か？指でさして教えてください。

Q22. お茶の水の制作の問題はどういう問題ですか？

A22. 以前に比べ、最近は簡単な課題になっています。紙コップを使う課題が多いのも特徴です。制作のやり方の説明を、先生の説明あるいは動画で見てから作ります。

【問題】マラカスを作ってもらいます。まず、紙コップにビーズを入れます。次に、もう一つの紙コップを上にのせてテープで留めます。折り紙をこのように折って取っ手をつくり、紙コップにテープで留めます。最後に、ひもを紙コップにまわし、ちょう結びします。はい、始めてください。

＜材料＞紙コップ２個、セロハンテープ、ビーズ３個、ひも（20cm）、折り紙１枚。

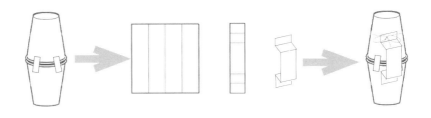

Q23. お茶の水の行動観察はどういう問題ですか？

A23. ２０２１年度は行動観察の試験は、三密を避けるために行われませんでした。それ以前は行われていました。典型的には５人１グループで課題に取り組みます。積み木が使われることが多かったです。

【問題】（絵のような積み木５個が与えられ）①積み木をすべて使って、できるだけ高く積んでください。②積み木をすべて使って、今度はできるだけ低く積んでください。

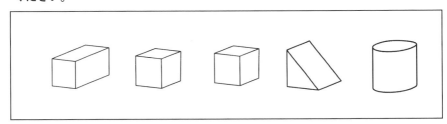

Ｑ２４．お茶の水の、１次抽選後の保護者アンケートはどのよう
　　　　なものですか？

Ａ２４.１次の抽選に通った場合、保護者に対し約４５分で保護者アンケートの
記載が求められます。実態は、アンケートというよりも課題作文です。以前は
８００字でしたが、今は４００字です。資料持ち込み可なので、事前に準備をし
ておくことをお勧めします。最近の課題例としては、
「コロナ禍など先行きが不透明な社会情勢の中で、あなたが学校教育に期待する
ことは何ですか？」
「地球環境を守るためにご家庭で行っている取り組みは何ですか？　お子さまは
どのように参加していますか？」
ですが、このように時事的な内容が問われます。

Ｑ２５．お茶の水の、２次試験中に行われる保護者面接はどのよ
　　　　うなものですか？

Ａ２５．子どもが２次試験を受けている間に、保護者は面接があります。時間は
５分程度で、典型的には以下の質問から５～６問が訊かれます。
・志願者（お子さま）の名前、生年月日、住所を教えてください。
・志願者には兄弟・姉妹はいますか？（YES の場合）どこの学校ですか？
・入学することになった場合の通学方法と時間を教えてください。
・どのようなことに気をつけて子育てしてきましたか？
・志望理由を教えてください。
・ご両親とも働いていますか？（YES の場合）平日の保護者会やイベントには出
　席できますか？　係として協力して頂けますか？
・受験するにあたり犠牲にしたことは何ですか？
・お子さまになぜ勉強するのかと訊かれたらどう答えますか？
・幼稚園でお子さま同士のトラブルはありましたか？
・同じクラスの保護者から、お子さまがいじめられているというメッセージがき
　たら、どのように対応しますか？

第4章

東京学芸大学附属
竹早小学校

Q26. 竹早の募集要項について教えてください。

A26. ご参考までに2021年度の入試の募集要項の概要をお示しします。

　竹早は、他の国立小学校より学校説明会の時期が早いので、注意が必要です。また、昨今、国立小学校の受験スケジュールが変更されており、竹早も変更される可能性があります。受験の年は早めに学校のHPでスケジュールを確認してください。募集要項頒布の期間が他校に比べ極端に短いので、注意が必要です。

2021年度　学芸大学附属竹早小学校　募集要項	
募集人員	男子20名程度、女子20名程度
学校説明会	中止（動画を2020年8月25日〜31日に公開）
募集要項頒布時期	2020年9月15日〜18日（1部1000円）@校内事務
第1次選考出願	2020年9月29日〜10月2日　※郵送のみ。当日消印有効。
第1次選考（抽選①）	2020年10月17日　男子11時〜、女子13時〜 ※結果発表 同日14時〜※HPまたは正門脇掲示板発表
第2次選考出願	2020年10月28日・29日@校内 9時〜11時、13時30分〜15時30分
第2次選考（発育調査）	男子2020年11月25日　女子11月26日

Q27.「発育調査」(試験)は一言でいうと、どういう試験ですか？

A27. 模倣体操、行動観察、親子面接、親子活動の4つです。ペーパーや制作はありません。これはコロナ下だったからでなく、竹早の試験はもともとペーパーや制作がなく、行動観察が中心です。そのため、他校とは違い、コロナ下の2021年度入試でも行動観察の試験が行われました。

　ただし、2021年度は例年とは異なった形態でした。例年は行動観察の試験は2段階で行われ、一つは決まったゲームを5人のグループし、もう一つは「的当て」「積み木」「玉入れ」「ドンジャンケン」などの自由遊びでした。2021年度は、自由遊びが感染リスクが高いと考えられたのか、自由遊びはありませんでした。

　試験全体の所要時間は1時間弱。25人程度のグループでの模倣体操、5人程度のグループでの行動観察、親子面接、親子活動の4つが試験内容です。

　竹早では親のアンケート等はありません。

Q28．竹早の模倣体操はどういう問題ですか？

A28．簡単な模倣体操で、事実上はウォーミングアップです。内容としては、
「先生と同じように身体を動かしましょう」という指示で、前屈、飛行機バランス、
ケンケン（右・左）などをやります。

飛行機バランスは説明が必要かもしれま
せんので、図を示します。飛行機バランス
とは、片足を後ろに上げ、両手の指を伸ば
し、腕を横に水平に伸ばした状態で、前傾
するものです。慶応幼稚舎の試験で頻出の
ポーズです。

Q29．竹早の行動観察はどういう問題ですか？

A29．例年は2つの問題があり、一つは決まったルールで5人で遊ぶもの、も
う一つは自由遊びです（Q27で説明済み）。前半の試験の例を説明しましょう。
【問題】5人グループで、手をつなぎます。先生が「カレーぐつぐつ」と言ったら、
時計回りに周りましょう。「シチューぐつぐつ」と言ったら反対に周りましょう。
先生が「ばくばくばく」と言ったら、食べる真似をしましょう。そして、「おしかっ
た」といいながら、ばんざいをしてください。

他には、先生と5人で六角形の机に座り「しりとり」や「お手玉渡し」をした
り、ドミノ倒しなども出題されています。

Q30. 竹早の親子面接・親子活動について教えてください。

A30. 親子面接と親子活動は同じ場所で行われます。

まずは親子面接についてです。

（1）親子で入室すると、最初に子どもに対して次の2つの質問をされます。

①お名前を教えてください。

②今日は誰と来ましたか？

そのあと、同じ部屋内のパーティッションで区切られた別の場所で、親と子どもがそれぞれ面接を受けます。

（2）親に対する質問は例年2〜3問ですが、2021年度は1問でした。以下が典型的な質問例です。学校としては、とりわけ①と②については親の考えを聞きたいところです。

①学校案内はお読みになりましたか？　読んでどうお感じになりましたか？

②本校は子どもにとって良いことばかりではありません。学校が遠い人だと、通学への不安や、地元に友人が出来ない弊害がありますがどう思いますか？

③最近、お子さんをほめたことはありますか？　どういうことでほめましたか？

④子どもが今、一番欲しいものは何だと思いますか？　それについてどう思いましたか？

⑤子どもが今、やりたいことは何だと思いますか？　それについてどう思いましたか？

（3）子どもに対しては、親に④⑤を聞いたときは、同じ質問をしているようです。

①今、一番ほしいものは何ですか？　どうしてですか？

②今、やりたいことは何ですか？　それはどうしてですか？

③お母さんとは何をして遊びますか？

④将来は何になりたいですか？　それはどうしてですか？

子どもの面接のほうが早く終わるので、親の面接が終わるまでの間、親子活動の説明が子どもにあります。

40

次に、親子活動について説明します。早く面接が終わる子どもは、その場で、先生から説明を受けて遊びます。

【ダンス】
　先生が子どもにダンスを教えます。先生の振り付けをみて子どもが振り付けを覚え、一緒に踊ります。
　次に、面接が終わった親が合流し、「お子さんからダンスの振り付けを教えてもらって、一緒に踊ってください」という指示があります。
　子どもが振り付けを親に説明し、親子で一緒に踊ります。

【ジェスチャーゲーム】
　同じ絵カードが２束あり、一組は裏返して束ねてあり、もう一組は机に表向きに並べてあります。「先生が絵カードを引きますね」と裏返してあるカードから一枚を引き、そこに描いてあるもののジェスチャーを子どもに見せ、子どもはそれがどの絵カードなのかを並べてあるカードを選んで当てます。
　次に、子どもが絵カードを引いてジェスチャーをし、先生が当てます。
　その後、面接が終わった親が合流し、子どもが親にゲームのやり方を説明し、親子で遊びます。

【お話作り】
　風景の絵カードと動物の絵カードが１枚ずつ、合計２枚が机に置かれています。「ここ（風景の絵カード）にこの動物（動物の絵カード）がいるので、その続きのお話をつくってください」と子どもに出題されます。
　次に、面接が終わった親が合流し、子どもが親にやり方を教えて同じように遊びます。

　東京女学館のAO入試での頻出ですが、親子活動のポイントは、先生の指示が子ども経由で保護者に伝わる点です。入学後の学校生活でも、連絡事項は教室で先生から子どもたちに伝えられ、子どもたちは帰宅後に親に伝えることになります。スムーズな学校生活が送れそうな親子関係であるか否かを確認していると思われます。

第５章

東京学芸大学附属
世田谷小学校

Q31. 世田谷の募集要項について教えてください。

A31. 通称「ガクセタ」。チャイムがない学校で有名な世田谷の、2021年度の入試の募集要項の概要をご参考までにお示しします。世田谷もスケジュールが変更される可能性は十分にありますので、受験の年は早めに学校のHPでスケジュールを確認してください。以前は来校出願だったのが2021年度からは郵送に切り替わってます。

2021年度　学芸大学附属世田谷小学校　募集要項	
募集人員	男女計 105 名
学校説明会	2021 年 9 月 17 日～ 23 日　動画配信 ※ 2022 年度情報
募集要項頒布時期	2021 年 9 月 17 日～ 9 月 30 日（1 部 1000 円）@事務室 ※ 2022 年度情報
第 1 次選考出願	2020 年 9 月 23 日～ 10 月 2 日※郵送のみ。消印有効
第 1 次選考（発育調査）	男子 2020 年 11 月 25 日　女子 11 月 26 日
第 1 次選考発表	2020 年 11 月 28 日　8 時～@校内掲示
第 3 次選考（抽選②）	2020 年 11 月 28 日 （受付　男子 9 時～ 9 時 30 分、女子 10 時 30 分～ 11 時）

Q32.「発育調査」（試験）は一言でいうと、どういう試験ですか？

A32. 例年、机のある教室でペーパー（例年 2 問）＋プレートパズル（1 問）。場所を移動し、運動（模倣体操）、生活（紙を折ってファイルに入れる課題のワンパターン）、行動観察、口頭試問です。制作はありません。コロナ下でも継続して、行動観察の試験はありました。

　特徴的なことは、ペーパーは赤のサインペンです。多くの小学校では鉛筆やクーピーを使いますので、慣れておくといいでしょう。

　試験全体の所要時間は 1 時間 30 分弱。試験は 15 人単位で行われます。

　竹早とは違い、世田谷では親のアンケートがあります。子どもが試験を行っている間に、控室にて 20 分の制限時間、A4 の紙に選択式 3 問、記述式 3 問を記入します。保護者のアンケートという点では最難関です。メモ参照OKなので、事前に予想問題の回答を作っておくことをお勧めします（Q34 参照）。

Q33．世田谷のペーパーとプレートパズルは、どういう問題ですか？

A33．世田谷のペーパーとプレートパズルは事実上一体として行われます。具体的には、ペーパーの解答用紙の表面に「お話の記憶」の解答を書き、裏面の左側に「模写」あるいは「運筆」の解答欄があり、左側の空欄にプレートパズルを置く形になっています。

　世田谷のペーパーの特徴として、筆記具についてはQ31で述べましたが、「お話の記憶」も独特です（他校に比べ易しいという意味で、です）。他校では、長いお話を聞いたのちに、複数の質問にまとめて答えるというのが一般的ですが、世田谷では、長いお話を段落ごとに分割し、その段落のお話を聞いて、それに関する質問に答え、それを繰り返す形です。つまり、色々と覚えておく必要がないので簡単です。

【問題】プリントを裏返して、お話を聞きましょう。
「（テープ）ウサギさん、オオカミくん、キツネくん、クマさん、リスさんの5人は森に出かけることにしました。途中、何かの鳴き声が聞こえてきました。ウサギさんが『何の鳴き声かな？』と聞くと、『すずめの鳴き声だよ』とリスさんが教えてくれました」。
（先生）プリントを表にしましょう。森に行く途中で聞こえたのは、どの生き物の鳴き声でしたか？　リンゴの部屋から選んで〇をつけましょう」。

「（先生）プリントを、もう一度、裏返してください。
（テープ）しばらく歩いていくと、広い原っぱに着きました。ウサギさんは『原っぱはきれいだね』と言い、クマさんは『走ると気持ちがいいわ』と言いました。リスさんは『お花がたくさん咲いているから、みんなで摘もう！』と言い、キツネくんは『たくさん摘んで持って帰って、お部屋に飾ろう！』と言いました」。
（先生）「原っぱがきれい」と言ったのは誰ですか？　バナナの部屋から選んで〇をつけましょう。」

45

「（先生）プリントをまた裏返してください。
（テープ）みんなで原っぱを走ることにしました。走っているうちに、オオカミくんは、あまりに原っぱの草がやわらかく気持ちがよかったので、そのまま、でんぐり返しをしました。それを見て、みんながでんぐり返しをしました。青い空を見上げていると、綿あめのような雲が見えました。
（先生）オオカミくんが見たものは何ですか？　いちごの部屋から選んで〇をつけましょう」。

「（先生）プリントをまた裏返してください。
（テープ）みんな、たくさん遊んでお腹が空いてきたので、おやつを食べることにしました。手をお手拭きで拭いてからおやつの準備をしました。お皿に、飴を３個とクッキー４枚ずつ載せました。
（先生）みんなで準備したおやつのお皿はどれですか？　ぶどうの部屋から選んで〇をつけましょう」。

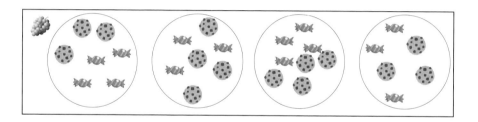

次は模写の問題を見てみましょう。

【問題】魚の部屋をみてください。上の絵と同じように、下の黒い丸から描きましょう。

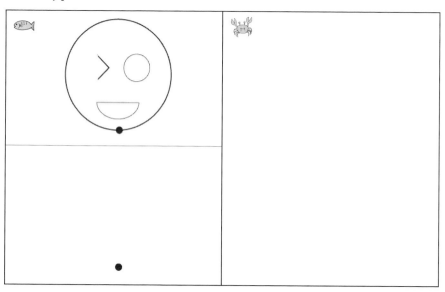

【問題】（表が青、裏が赤の二等辺三角形の厚紙4枚が置いてあり）次の見本と同じものを、カニの部屋に三角パズルでつくってください。

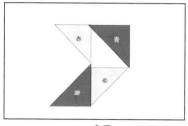

Ｑ３４．世田谷の運動はどういう運動が出題されますか？

Ａ３４．ペーパーの試験のあと、教室を移動し、運動（模倣体操）・生活・行動観察・個別テストがありました。

【問題】（模倣体操）先生と同じポーズをしてください。
「その場でしゃがんで → ジャンプ → 左足でケンケン → 右足でケンケン」

【問題】（生活）「Ａ４の紙を四つに折ってクリアホルダーに入れてください」
※クリアホルダーはＡ６サイズの市販されているものです。

【問題】（行動観察）「呼ばれた人は、先生のところに行ってください。それ以外の人は、お友達と一緒にカプラで街を作ってください」。
※カプラというのは、１ｃｍ x ３ｃｍ x １５ｃｍのワンサイズの木でできているフランスのブロックのおもちゃです。慶応幼稚舎などでも使われる有名なお受験おもちゃですが、取扱いが難しいわけでないため、事前に購入して準備するという必要はありません。

【問題】（口頭試問）
①「名前を教えてください。朝ごはんは
　　何を食べましたか？」
②「この絵をみてどう思いますか？」（右）
※お花畑に入ってお花を勝手に摘むのは
　　いけない。人がたくさんいるところで
　　ボール遊びは危ない。人のおもちゃを
　　とってはいけない。

48

③「先生が指でなぞるので、同じように指でなぞってください」。

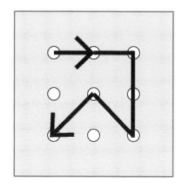 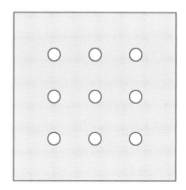

A35. 竹早とは違い、世田谷では親のアンケートがあります。子どもが試験を行っている間に、控室にて20分の制限時間、A4の紙に記入します。最近は選択式3問、記述式3問です。保護者のアンケートという点では最難関です。メモ参照OKなので、事前に予想問題の回答を作っておくことをお勧めします。選択式と記述式の例を紹介しましょう。

【アンケート（選択式）】
もっとも該当すると思われる番号1つに○印をつけてください。

問1　お子様は、普段どのようにタイプだと感じていらっしゃいますか。
　1　一人で没頭していることが多い。
　2　数人のお友達とよく行動を共にする。
　3　大勢のお友達と分け隔てなく遊んでいる。
　4　大人や年長者にもものおじしない。
　5　仲間のリーダー役になることを好む。
　6　何事にも慎重で自己主張をしない方だ。

【記述式】

問．現代のわが国では平均寿命が８０才を超え、長寿社会になっています。長寿社会では、どのような教育が必要だと思っているか、お書きください。

問．子どもたちは、小学校の間、目覚ましく発達し、またその発達の仕方は多様です。大人の期待通りに成長しないことや、大人の手を焼くこともありますが、ご家庭ではお子様をどのように支えたいと思っているか、お書きください。

問．お子様が通われていた幼稚園や保育園について、感想も含めお書きください。もし、ほかに通われていた施設等ございましたら、その感想をも含めてお書きください。

問．小学校の先生に期待されることがございましたら、今のお気持ちやご意見を自由にお書きください。

が出題例です。

　用紙はＡ４で各問３cm程度の記入欄なので、字の大きさにもよりますが、２～３行です。１行25字～30字として、50字～90字が目安です。メモ持ち込み可なので、事前に文案を練っておくことをお勧めします。

第6章

東京学芸大学附属
大泉小学校

Ｑ３６．大泉の募集要項について教えてください。

Ａ３６．大泉の２０２１年度の入試の募集要項の概要を（現時点（2021 年 6 月時点）で発表済の情報は 2022 年度のものも）ご参考までにお示しします。今後、スケジュールが変更される可能性は十分にありますので、受験の年は早めに学校の HP でスケジュールを確認してください。2022 年度の学校説明会、第 1 次選考（抽選）の日、第 2 次選考（総合調査）、結果発表日等については 2022 年度のものが公表されていましたので掲載します。

　第 1 次選考の抽選は、志願者数が少なく、総合調査の実施可能人数に収まるときは実施しないこともあります。実際に 2019 年度入試では、抽選は実施されず、全員が第 2 次選考の総合調査に進みました。

２０２２年度　学芸大学附属大泉小学校　募集要項	
募集人員	男女計 105 名（2021 年度情報）
学校説明会	2021 年 9 月 3 日〜 17 日 12:00（オンライン）
募集要項頒布時期	2020 年 9 月 18 日〜 10 月 1 日（1 部 1000 円）＠事務室（2021 年度情報）
第 1 次選考出願	2020 年 9 月 23 日〜 10 月 2 日※郵送のみ。消印有効（2021 年度情報）
第 1 次選考（抽選）	2021 年 10 月 16 日男子 10 時〜、女子 11 時〜　（時間は 2021 年度）
第 2 次選考出願	男子 2020 年 10 月 31 日・11 月 4 日　女子 11 月 3 日、4 日
第 2 次選考（総合調査）	2021 年 11 月 24 日・25 日の両日
第 2 次選考発表	2021 年 11 月 27 日
補欠者抽選	202 年 11 月 28 日

Ｑ３７．「総合調査」(試験)は一言でいうと、どういう試験ですか？

Ａ３７．竹早・世田谷・小金井と違い、大泉の試験は男女とも 2 日間にわたります。1 日目は、ペーパーと行動観察で約 1 時間（2021 年度は運動はなし）。2 日目は口頭試問です。ペーパーは解答用紙が 1 枚（裏表）。口頭試問は、以前は 3 人一組でしたが、2021 年度は一人ずつでした。口頭試問の時に、「折り紙を折る」「貼り絵」などが以前は出題されていましたが、2021 年度はありませんでした。保護者アンケートや保護者面接はありません。

A38．大泉のペーパーはQ37で説明した通り、解答用紙は1枚。表が「お話の記憶」の小問2問と「常識」1問です。裏面は、「図形」「数量」が1問ずつ、「常識」が1～3題出題されています。出題例を見てみましょう。

【問題】「プリントを裏返して、お話を聞いてください。
今日は、動物幼稚園の運動会です。動物たちはずっと前から楽しみにしていました。クマさんは玉入れに参加します。あまりに楽しみにしすぎて、前の日の夜はなかなか寝付けず、朝寝坊をしてしまいました。『もうこんな時間だ。早くしないと遅れちゃう』とあわてて着替え、朝ごはんをちょっとだけしか食べられませんでした。ウサギさんはかけっこが速いのでリレーの選手に選ばれています。『リレーで一番になるように頑張ろう！』と、朝ごはんをモリモリたべました。オオカミくんは昨日の夜から熱が出ていたので、運動会はお休みしました。リスくんは綱引きに参加します。『朝ごはんをたくさん食べすぎると綱引きで頑張れないかもしれない』と思い、朝ごはんは少しだけ食べました」。

① 運動会の日の朝ごはんを、寝坊して少ししか食べられなかったのは誰ですか？ 〇をつけましょう。

②熱が出て、運動会をお休みしたのは誰ですか？ 〇をつけましょう。

次は「常識」の問題例です。以前は、「外国人の人が外国語で挨拶をしたらどうするか」等の外国人シリーズの問題がよく出題されていました。

【問題】外出するときにポケットに入れるのはどれですか？　〇をつけましょう。

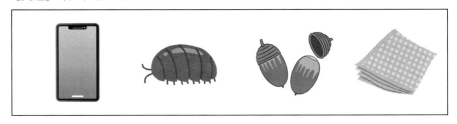

次は数量の問題例です。

【問題】男の子が輪投げをしました。入った輪が２つ、はずれた輪は３個でした。
　　　　男の子は最初いくつの輪を持っていましたか。〇をつけましょう。

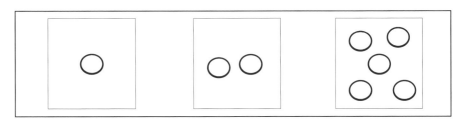

最後に図形の問題例です。

【問題】左の部屋を見てください。折り紙を半分に折り、さらに左側を三角に折り、
　　　　はさみで点線を切りました。三角に折ったところを広げると、どういう形
　　　　になりますか？　〇をつけましょう。（正解は右下）

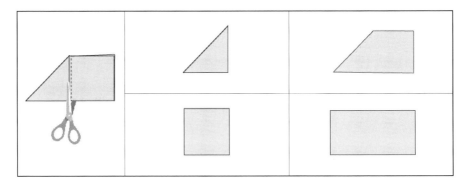

Q39. 大泉の1日目の運動はどういう問題ですか？

A39. 2021年度は出題されませんでした。以前は、模倣体操、屈伸運動、指示運動（線から線までケンパで進む等）が定番でした。

Q40. 大泉1日目の行動観察はどういう問題ですか？

A40. 以前は、「在校生の寸劇を観る」「2チームに分かれて、二人一組でボールを運ぶ（カードめくりをする、お互いの人差し指で割り箸を運ぶ）」などに加えて、有名な模倣ダンスが定番した。

　2021年度からは傾向が変わり、模倣ダンスだけになりました。大泉の模倣ダンスは流行している歌を使うことで有名です。ただ、歌の一部だけですし、必ずしもオリジナルの振りをするわけではありません。あくまでもその時の先生のダンスを模倣するのが試験ですから、<u>恥ずかしがらず、元気よく、先生の真似をして踊ること</u>が大事です。ちなみに、2021年度は「鬼滅の刃」、2020年度は「パプリカ」、2019年は「U.S.A.」、2018年は「エビカニクス」でした。

Q41. 大泉2日目の口頭試問はどういうことを訊かれますか？

A41. 口頭試問では、子どもに対して、名前などについて数問、物の名前についてや、対人関係について等が訊かれます。約5分です。
【名前・対人関係等について】
・お名前を教えてください。
・お父さん、お母さんが抱きしめてくれるときはどんな時ですか？
・家では、どんなお手伝いをしていますか？
・幼稚園（保育園）でいつも歌っている歌は何ですか？
・家で育てているものはありますか？
・積み木で遊んでいるときにお友達に壊されたらどうしますか？
【物の名前について】
・絵カードが何か答える（動物、「マッチ」「蚊取り線香」「炊飯器」等）。

以下は 2021 年度に出題された問題ですが、良問でした。

【問題】「体の大きいタヌキさん、体の小さいタヌキさん、体の小さいリスさんで
　　　　ピザを分けます。どのように分けたらよいですか？」「どうしてですか？」

　<u>この問題には一つの正解はありません</u>。だから、理由も訊いているのです。例
えば一番左を選び、「体が大きくても小さくても、同じ大きさに分けるのがよい（公
平だ）から」でもいいですし、一番右を選び「全員がお腹いっぱいになるのがい
いので、体の大きいタヌキさんには大きなところをあげるから」でもよいです。

Ｑ４２．大泉の通学時間の計算方法について教えてください。

Ａ４２．学校の HP に詳細がありますのでご確認ください（http://www.es.iizum
i.u-gakugei.ac.jp/document/pdf/tsugakukuiki.pdf）。ルールが時々見直されま
すので、出願時の最新情報をお確かめください。

　以下の方法で計算し、通学時間が 40 分以内でないと出願できません。その通
学時間の計算方法が複雑です。

・分速 60 m で計算。

・駅改札通過は最低でも 1 分。ただし、吉祥寺駅の乗り換え：5 分、上石神井
　駅 10 分、荻窪駅 10 分。

・電車←→バスの乗り換えは、最低でも 5 分。バス←→バスは 10 分。

・駅・バス停からご自宅までの徒歩時間は、駅出口・バス停からご自宅（マンショ
　ンは入口）までの道のりで計算。

・学校の最寄り駅・バス停までの所要時間は、大泉学園駅（南口）から学校まで
　8 分、大泉学園駅北口バス停からは 10 分、西武バス・関東バスの「学芸大附属前」
　バス停からは 0 分　　です。

第7章

東京学芸大学附属
小金井小学校

Ｑ４３．小金井の募集要項について教えてください。

Ａ４３．２０２１年度の入試の募集要項の概要をご参考までにお示しします（一部、2022 年度情報）。今後、スケジュールが変更される可能性は十分にありますので、受験の年は早めに学校の HP でスケジュールを確認してください。2022 年度の学校説明会については、執筆時点（2021 年 6 月）で、すでに「2021 年 9 月 11 日（土）9:30 〜、10:30 〜、11:30 〜＠体育館」と発表されていますが、2021 年度同様にオンラインでの動画になる可能性も十分にあります。竹早ほどではありませんが、募集要項頒布期間が短いので注意が必要です。また、通学地域による応募制限があります。詳しくは Q1 をご覧下さい。

２０２１年度　学芸大学附属小金井小学校　募集要項	
募集人員	男女計 105 名（応募者が多い性別が 53 名）
学校説明会	2021 年 9 月 12 日〜 18 日（オンライン）（※ 2022 年度）
募集要項頒布時期	2020 年 9 月 12 日〜 9 月 18 日（1 部 1000 円）＠事務室
第 1 次選考出願	2020 年 9 月 23 日〜 10 月 2 日※郵送のみ。消印有効
第 1 次選考（総合調査）	2021 年 11 月 24 日・25 日の両日　※ 2022 年度
第 1 次選考発表	2020 年 11 月 28 日　8 時〜＠玄関前
第 2 次選考（抽選）	2020 年 11 月 28 日　受付 9 時 30 分〜 10 時　抽選 10 時〜
最終合格者発表	2020 年 11 月 28 日　抽選直後
入学手続き期日	2020 年 12 月 7 日・8 日

Ｑ４４．「総合調査」（試験）は一言でいうと、どういう試験ですか？

Ａ４４　2020 年度までは大泉と同じ 2 日間の試験でしたが、2021 年度からは男女 1 日のみ、別日実施になりました。以前は、1 日目にペーパー・制作、2 日目に個別テスト・運動・行動観察でした。2021 年度はペーパー・制作・運動だけになりました。2021 年度のペーパーは「お話の記憶（小問 1 問）」「位置の記憶」「常識（心情理解）」「図形 3 問（四方見、図形合成 2 問）」「常識（マナー）」でした。例年は図形の他、数量比較分野（分配・数の差）、常識分野では、季節・野菜の断面・食事の位置などが出題されています。制作は、作りかたの映像を見る指示制作、運動は例年どおり屈伸からの立ち幅跳びです。全体で約 40 分。保護者アンケートや保護者面接はありません。

A45．ペーパーは、「お話の記憶」「位置の記憶」は毎年出題されています。「お話の記憶」は小問1問のみです。

【問題】「プリントを裏返してお話を聞きましょう。
ミツバチさんは天気の良い日は散歩をします。今日もいい天気なので、散歩にでかけました。ミツバチさんのお気に入りの公園に行くと、お友達がたくさん。ダンゴムシさんは砂場に、バッタさんはシーソーに、チョウチョウさんはブランコにいました。ミツバチさんはおいしい蜜がとれるお花の場所を、チョウチョウさんから教えてもらいました。
プリントを表にしましょう。シーソーにいたのは誰ですか？〇をつけましょう」。

【問題】「プリントを裏返してください。こちらの絵をよく見てください（10秒提示）。今見た絵はどれですか。　〇をつけましょう」。

59

　位置の記憶の問題はひねくれた問題は出ないので、もし記憶できていなかったら、いわゆる「多数決方式」で解答が出せます。つまり、カレーの向きは左にカレーがかかっているのが多いからそれが正しい、使われている野菜は玉ねぎ、人参、じゃがいもが多いからそれが正解、位置は選択肢のうち2つが左から玉ねぎ、じゃがいも、人参だからそれが正解という要領です。つまり、左上が正解です。

　「お話の記憶」「位置の記憶」以外は年によって出題が異なります。「常識」分野では、「心情理解」の問題が小金井に限らず出ます。他人の感情を理解できない子どもがいるとトラブルが増えるので、それを避けるためだと思われます。

【問題】ウサギさんとカメさんが積み木で遊んでいました。そこにイヌさんが来て、「一緒に遊ぼう。入れて」と言ったところ、ウサギさんは「ダメ」と断りました。ダメと言われたイヌさんはどんな顔になったと思いますか。○をつけましょう。

【問題】「食事の時の料理が正しく並んでいるものはどれですか？　〇をつけま
　　　　しょう。」

　今のご家庭ではこういうことは正しく教えていないご家庭も多いと思います。
ルールとしては、ごはんが手前右、お味噌汁は手前左、主菜（メインのおかず）
は奥の右側、お漬物は奥の左側と決まっています。また、お箸は右利きが前提と
なっており、持つ側が右側にくるように置くことになっています（仮に左利きの
人であっても）。普段の生活から心がけていると試験対策が楽です。

Q４６．小金井の制作はどういう問題ですか？

Ａ４６．小金井の制作の問題は、簡単な指示制作です。作り方を説明した動画を
見たあとに取り組みます。
【問題】「たこを作ります。まず、折り紙を半分に折り、そのまた半分に細く折り、
もう一度細く半分に折ります。開いて、折り目に沿って真ん中まで手でちぎって
切り目を入れます。それをまるくして、切れ目のないほうを洗濯ばさみで留めま
す。これでたこの完成です。同じように作ってください」。

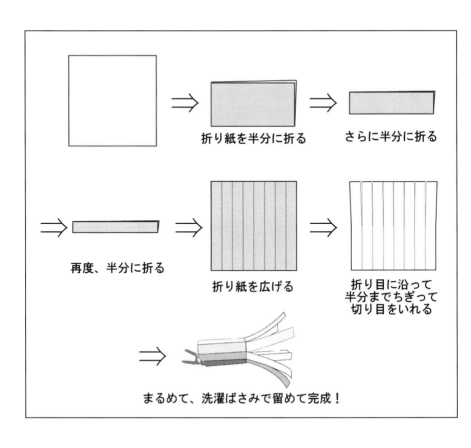

折り紙を半分に折る

さらに半分に折る

再度、半分に折る

折り紙を広げる

折り目に沿って
半分までちぎって
切り目をいれる

まるめて、洗濯ばさみで留めて完成！

Q47．小金井の運動はどういう出題ですか？

A47．小金井の運動は例年ワンパターンで、屈伸の準備運動をしてからの「立ち幅跳び」です。筑波の「クマ歩き」同様、名物試験です。元気よく跳ぶことが大事です。練習しておきましょう。

第８章

国立小受験の参考図書
読んでおくべき書籍

Q48．東京の国立小学校を受験するに際して、読んでおくべき本はありますか？

A48．保護者アンケートや保護者面接についての一覧は次の通りです。

学校名	保護者アンケートの有無	保護者面接の有無
筑波	○	×
お茶の水	○	○
竹早	×	○
世田谷	○	×
大泉	×	×
小金井	×	×

　保護者アンケートや保護者面接対策として本を読んでおくほうがいい学校は、筑波、お茶の水、竹早、世田谷です。筑波に関しては、以下の書籍が有名です。

・「きめる」学び　筑波大学附属小学校著　（図書文化）

・筑波大学附属小学校の「独創」の教育　筑波大学附属小学校著（図書文化）

　いずれも入試に関しては関係がないので、買ってまで読む必要はありません。

　お茶の水に関しては、次の本が一般的にもよく売れている本です。

・なぜ？　どうして？　ふしぎ366　お茶の水女子大学附属小学校監修
　（主婦の友社）

・新教科「てつがく」の挑戦　お茶の水女子大学附属小学校他編著（東洋館出版）

　前者は、カレンダー方式でその日に読むことが書いてあります。本の内容は自分で考える能力を養うというよりも、百科事典的な知識を教えるものです。これがお茶の水の教育の内容だというのであれば、非常に浅薄な教育であるという印象です。後者の「てつがく」の本は読む価値があります。素晴らしい内容ですが、こういう内容の授業を行うのは先生の質が高くないと難しいでしょう。「公平」ひとつをとっても大人でも議論百出であり、先生の個人的な偏見を子どもたちに押し付けないか心配です。逆に言えば、お茶の水は、それだけ先生の質に自信があるということでしょう。竹早と世田谷については

・子どもが輝く　東京学芸大学附属竹早小学校他著（東洋館出版社）

・自分の学びに自信がもてる子ども　東京学芸大学附属世田谷小学校著
　（東洋館出版社）　売切れ中（古本で売っていることもある）

です。この2冊も読む価値があります。

第９章

東京都立立川国際中等学校
附属小学校

A49. 正式名称は、東京都立立川国際中等教育学校附属小学校です。略称はまだ定着しておりませんが、おそらく「タチコク（立川国際の略）小学校」と呼ばれるようになると思います。

　特徴としては、まずは、都立はじめて（公立では全国でも初！）の小中高一貫校であることです。中高一貫の都立校は現在（2021年6月現在）10校ありますが、その一つである立川国際中等教育学校の附属小学校として2022年4月開校します。ですので、原則として、そのまま立川国際中等学校に進学します。

　ふたつめの特徴としては、将来、世界で活躍する人間を育成することを目標にしていることです。国公立の小学校では珍しいことです。立川国際小学校の説明動画の中でも、「答えのない問題、予測のつかない状況に対応できる人を育てる」、「多様な価値観を受け入れ主体的に国際社会に参画する人を育てる」という趣旨の表現があります。私立で言うと、慶應横浜初等部に似ているイメージです。慶應横浜初等部では、不連続で予測不能な社会でサバイブする（生き残る）人材を育成するということを言っています。

　それに関連して、第二外国語の勉強も独特です。フランス系キリスト教修道院が母体の一部の私立では、英語のみならずフランス語も勉強するところもありますが、私立・国公立を含めて、小学校では非常に珍しいことです。フランス語以外にも、スペイン語、ドイツ語、中国語、韓国語、アラビア語に触れ合う機会があるとのことです。国際派の小池知事ならではのプロジェクトだと思います。

　また、新しい学校であるせいか、学校後援会等の「謎の団体」はなく、国立小学校に感じる「闇」の部分がないように見えます。都立なので入学金・授業料なし、宿泊行事費は6年間合計で約35万円　教材費約20万円、給食費約40万円。6年合計で100万円以下です。ランドセルは各自の準備ですが、制服はあるようです。

　ご興味のあるかたは、学校のホームページや、Youtubeにある学校の公式動画をぜひご覧頂くことをお勧めします。

　新設の学校はコンセプトは美しいのですが、実際の学校運営が理想に追いつかないことが多々ある（看板倒れ）ので、そうならないことを期待しています。

Q５０．タチコク小学校の通学区域はどうなりますか？

Ａ５０．「概ね４０分以内」となっています。学校は立川駅からバスで１２分のところですので、電車で通学の場合は、立川駅まで２８分程度以下で到着できるアクセスが必要です。「概ね」の意味は、「所要時間が、概ね４０分以内の鉄道の駅やバス停が一つでもあれば、その区市町村全体を通学区域とする」ということです。詳細はホームページにありますが、23区では「新宿区」「世田谷区」「渋谷区」「中野区」「杉並区」「練馬区」であれば、どこでも通学区域としてＯＫです。

Q５１．タチコク小学校の募集要項はどういうものですか？

Ａ５１．国立小学校のように、第１次選考（抽選）→第２次選考（適性検査）→第３次選考（抽選）で行われます。以下の一般枠の他に、海外帰国・在京外国人児童枠（男女各６名）が別にあります。現時点（2021年6月6日時点）で公表されている情報は下記のとおりです。

２０２２年度　都立立川国際小学校　一般枠　募集要領	
募集人員	男女計２９名
学校説明会	2021年6月27日・7月10日@たましんRISORUホール
募集要項頒布時期	2021年9月17日〜
第１次選考出願	2021年10月18日〜10月25日　※簡易書留・必着のみ。
第１次選考（抽選）	2021年11月14日　午前10時〜 ※男女各200名程度以上を超えたときのみ実施。 ※男女各200名程度を第１次通過者とする。
第２次選考（適性検査）	2021年11月28日
第３次選考（抽選）	2021年12月4日　午前11時〜

適性検査の公開情報から推測する試験（適正検査）は以下の通りです。

前半（４５分） ペーパー（5問）	第１問　お話の記憶（小問2問）
	第２問　常識・言語（小問2問）
	第３問　数量・図形（小問2問）
	第４問　推理・思考（小問2問）
	第５問　運筆・塗り絵（小問2問）
後半（４５分） 行動観察・運動・口頭試問	行動観察　１グループ5名程度
	運動　模倣体操
	個別試験　口頭試問

Ａ５２．適正検査例として、学校のホームページに問題例が示されていますので、ご覧ください。前半のペーパーは、難易度は普通ですが、分野のバランスよく出題されています。

学校が公表した適正検査（例）			
第１問　お話の記憶（小問２問）			問題文は７００字弱で長めです。
第２問　言語・常識	小問１	言語	しりとり
	小問２	常識	季節
第３問　数量比較・図形	小問１	数量比較	長さの比較
	小問２	図形	図形合成
第４問　推理思考	小問１	推理思考	系列
	小問２	推理思考	線対称
第５問　運筆・塗り絵	小問１	運筆	運筆
	小問２	塗り絵	塗り絵

　出題の最大の特徴は「塗り絵」です。小学校入試で「塗り絵」が出題されることはほとんどありません。運筆も少数派です。

　塗り絵の問題の指示は、「色鉛筆」で、「はみ出したり、白いところが残ったりしないように色を塗ってください」ということです。子どもの何を見ているのかと言えば、注意力と粘り強さです。男の子には鬼門の問題です。

　後半は「行動観察」「運動」「インタビュー（口頭試問）」です。他の小学校の試験と似たような一般的な出題になると思います。

　「行動観察」（学校発表の資料には「集団行動」と記載されている）は「人と関わる力、貢献する力、発想する力などをみる」とありますから、イメージで言えば、早稲田実業の「自由遊び」の課題です。１グループ５人程度で、課題に取り組みます。早実の試験では、典型的には「作戦タイム」があり、一度、５人で課題に取り組み、そこで改善すべき点を相談し、改善案を出してから、再度同じ課題に挑む試験です。発言力、相談力、観察力、アイディア、他の人の意見を聞く力、役割分担などが求められます。

　運動は「指示された内容を正しく理解し、複数の動きを組み合わせて体を動かす力を見る」ということですので、慶応幼稚舎の模倣体操などが当てはまります。

「インタビュー」（口頭試問）では「質問に正対して（真正面に向かい合うこと）答える力をみる」と「出題の方針」にあります。質問内容は、国立小学校の口頭試問で訊かれるような一般的な内容になると思います。要は、先生の目をみて、ハキハキと大きな声で端的に答える子どもがいい評価をされるという印象を受けます。気になるのは、このような「早熟な優等生」タイプばかりを採る試験内容になっているのでは、と見受けられる点です。早熟な子どもは「大人受け」はします。しかし、タチコク小学校は、流動的で困難な２１世紀において、世界で活躍する人間、「ぱいおにあ」を育てるのが目標なのだから、そのような素養があるか否かが基準となるべきでしょう。それは、決して「大人受け」する子どもではないはずです。

　また、コミュニケーション能力やリーダーシップは学力とは違います。

　ある私立小学校のリサーチでは、入学試験の時（年長さんの時）のペーパー学力は、小学校卒業時の学力と高い相関があるということでした。御三家のような難関中学に合格する子どもは難関大学に進学しやすいことを考えると、結局は、５～６才までの知育をしっかりやっているか否かで、偏差値の高い大学に入れるかどうかがほぼ決まることになります。一方で、コミュニケーション能力やリーダーシップは違います。幼児の時に人見知りでシャイでも、大人になって立派に仕事をしている人はたくさんいます。リーダーシップはその定義から議論があります。東京女学館が育成している「インクルーシブ・リーダーシップ」では、必ずしもリーダーはグループの長である必要はなく、組織のどこに位置していても、グループをリードできる能力を養っています。しかし、上記の「早熟な優等生タイプ」を求める試験では、伝統的な上下関係に基づくリーダーシップを育成するように見えます。玉川学園では自己肯定感を養うことでコミュニケーション能力を育成していますが、タチコク小学校では外国語という技術がコミュニケーション能力育成の中心であるように見えます。入学試験は、学校が欲しい子どもを採用できるようにデザインするので、欲しい子どもの像が学校によって異なる以上、試験内容も異なります。新しい学校をつくることは一大事業です。試行錯誤の連続だと思います。そういう意味では、タチコク小学校の入学試験の内容もしばらくは試行錯誤だと思います。2022年以降は過去の入試情報に接することができます。お子さんの受験の年には、学校説明会（オンラインも含め）やホームページ、各種書籍等から、最新情報をアップデートすることを強くお勧めします。

編者紹介　アンテナ・プレスクール

慶應幼稚舎、横浜初等部、早稲田実業の対策を中心、「働くお母さん、シングルマザーのご家庭のお受験、応援します！」という方針の幼児教室。２０２１年度の国立小学校入試の大変化をきっかけに国立小学校対策を強化。限られた時間で受験対策をするノウハウを提供中。名門小学校への高い合格率を誇る。URL：//www.a-preschool.jp

著者紹介　石井至（アンテナ・プレスクール校長）

東大医卒。博士 Ph.D。「マツコの知らない世界」「ホンマでっか!?ＴＶ」「ダラケ！お金を払ってでも見たいクイズ」などに出演。東京都市大学付属小学校学校評議員、首相官邸、経済産業省、国土交通省、環境省、観光庁などの委員を歴任。代表的な著書は、本シリーズの他、「慶応幼稚舎と慶応横浜初等部」（朝日新書）、「慶應幼稚舎」（幻冬舎）、「お受験のカリスマが教える成功する　小学校受験50の秘訣」（講談社）、「グローバル資本主義を卒業した僕の　選択と結論」（日経ＢＰ）等。

筑波・お茶の水・学芸大附属竹早・世田谷・大泉・小金井 合格する国立小学校・都立立川国際小　入試解剖学

２０２１年６月３０日　　初版　第１刷発行

編者	アンテナ・プレスクール（URL：//www.a-preschool.jp）
発行者・著者	石井至
発行所	石井兄弟社（URL：//www.ibcg.co.jp） 〒150-0001 東京都渋谷区渋谷 3-6-4-302 03-3499-3775
印刷・製本	株式会社シナノ書籍印刷
ISBN	978-4-903852-16-4 Printed in Japan
Copyright	ⓒ 2021 Itaru Ishii, All right reserved 落丁・乱丁本はお取替えいたします。